Dans la clairière,
près du grand buisson,
qui pousse une brouette
en revenant vers sa maison ?

ISBN : 978-2-211-20260-2

Loi numéro 49 956 du 16 juillet 1949 sur les publications
destinées à la jeunesse : mars 2009
Dépôt légal : novembre 2010
Imprimé en France par CPI Aubin Imprimeur à Ligugé

Alain Broutin

Calinours
fait la fête

illustré par Frédéric Stehr

l'école des loisirs
11, rue de Sèvres, Paris 6e

« Coucou ! C'est moi, Calinours !
Je suis avec mes amis, monsieur Rossignol,
papy Papillon, mademoiselle l'Abeille, et ils me parlent à l'oreille.
Ma brouette est vide mais dedans, il y avait… »
« Chut ! » dit monsieur Rossignol, « c'est encore un grand secret. »

« Monsieur Rossignol,
maintenant, ouvre tes ailes,
et vole à travers la forêt
pour annoncer la nouvelle. »

Monsieur Rossignol s'envole. Il chante à tue-tête :
« Ohé ! Ohé ! Calinours veut faire la fête !
Tout le monde se déguise,
rendez-vous dans la clairière, il y aura des surprises ! »

C'est l'heure de la fête.
Les invités qui arrivent s'amusent à se reconnaître.
Celui-là, qui peut-il être ?
Un grand chapeau, un long manteau, une baguette…
Les amis rigolent : « Hi ! Hi ! Hi ! Le grand magicien,
on t'a reconnu, petit coquin. »

« Oui, c'est moi », dit Calinours.
« Je vous reconnais aussi.
Hi ! Hi ! Hi ! La grande sauterelle,
madame Grenouille, je t'ai reconnue.
Ha ! Ha ! Ha ! La grosse coccinelle,
reconnue, madame Tortue.

Hi ! Hi ! Hi ! Le canard poilu,
monsieur Renard, je t'ai reconnu.
Ha ! Ha ! Ha ! La souris qui vole,
reconnu, monsieur Rossignol. »

Soudain, tous les bruits s'arrêtent.
Le grand magicien vient de lever sa baguette.
En soulevant son grand chapeau, Calinours s'écrie :

« Abracadabra ! Que les petites abeilles bourdonnent ! »
« Quelle merveille ! » disent les amis.
« Les petites abeilles bourdonnent,
et ça fait un soleil qui tourbillonne. »

En ouvrant son long manteau, Calinours s'écrie :
« Abracadabra ! Que les papillons papillonnent ! »
« Quelle merveille ! » disent les amis.

« Les papillons
papillonnent,
maintenant,
le soleil rayonne. »

Calinours dit : « Dansons autour du soleil.
Un pas en avant, on se tient par les papattes.
Deux pas en arrière…

On tombe tous sur le derrière. »
« Oh ! » s'écrie madame Tortue,
« quand on est par terre, le soleil éclate. »
« Oui », dit Calinours. « Pour qu'il brille encore,
il faut se lever et crier très fort : Soleil, où es-tu ? »

Assis, debout, on rit, on danse,
et on crie : « Soleil, où es-tu ? »
Debout, assis, on recommence…

Tout à coup, Calinours gonfle ses joues.
Il souffle sur le soleil : Fwou ! Fwou !
Le soleil s'enfuit.
Calinours court après lui.

Monsieur Castor dit :
« Ils sont près du grand buisson, allons-y !
Je sens quelque chose d'étrange. »
« Et moi », dit madame Souris,
« je suis sûre que ça se mange. »

« Regardez ! » crie monsieur Castor.
« Derrière le buisson,
il y a un trésor,
plein de tartelettes.
Mais qui les a faites ? »

« C'est moi », dit Calinours en riant,
« et je les ai même transportées dans ma brouette. »

À chacun sa part.
Une tartelette aux poires
pour monsieur Renard
et une aux poireaux
pour monsieur Blaireau.
Une à la citrouille
pour madame Grenouille
et une à l'andouille
pour monsieur Crapaud.
Et la tarte au miel…
c'est pour le Soleil.

Mais tout à coup…
Biz biz biz ! Les petites abeilles bourdonnent.
Zou zou zou ! Les papillons papillonnent.
« Quelle merveille ! » dit Calinours.
« Biz biz biz et zou zou zou,
ça me fait tout plein de petits bisous. »

« Calinours, merci ! merci ! »
s'écrient les amis.
« La fête est très réussie !
Petit soleil, bravo ! Bravo !
Il n'a jamais fait aussi beau ! »